Tomi Un

Otto

Autobiographie d'un ours en peluche

les lutins de l'école des loisirs
11, rue de Sèvres, Paris 6ᵉ

À Aria Ungerer

ISBN 978-2-211-06198-8
Traduit de l'anglais (États-Unis) par Florence Seyvos
Première édition dans la collection *lutin poche* : juin 2001
© 1999, l'école des loisirs, Paris, pour l'édition en langue française
© 1999, Diogenes Verlag AG Zürich (Tous droits réservés)
Titre de l'édition originale : « Otto » (Harper & Row, New York)
Loi numéro 49 956 du 16 juillet 1949 sur les publications
destinées à la jeunesse : septembre 1999
Dépôt légal : août 2018
Imprimé en France par I.M.E. by Estimprim à Autechaux

J'ai compris que j'étais vieux
le jour où je me suis retrouvé
dans la vitrine d'un antiquaire.

J'ai été fabriqué en Allemagne.

Mes tout premiers souvenirs sont assez douloureux.

J'étais dans un atelier et l'on me cousait les bras et les jambes pour m'assembler. Quand mes yeux furent cousus à leur tour, j'eus mon premier aperçu d'un être humain.

Une femme souriante me tenait dans ses mains. Elle disait : « Regardez-moi celui-là, s'il n'est pas *mignon* ! »

Puis je fus emballé et mis dans une boîte.

Le second visage dont je me souvienne
est celui d'un petit garçon qui sourit en me serrant contre lui.
Je compris ensuite que ce garçon s'appelait David,
que c'était son anniversaire et que j'étais son cadeau.

Oskar, le meilleur ami de David,
habitait sur le même palier.
Ils passaient la plupart de leur temps ensemble,
à jouer et à échanger des histoires et des blagues.
Ils me baptisèrent Otto.

Un jour, ils se mirent en tête de m'apprendre à écrire.
Mais avec mes pattes maladroites je renversai l'encrier
et m'éclaboussai la figure d'encre violette.
J'allais garder cette tache le restant de ma vie.
Comme cette tentative était un échec,
les garçons allèrent chercher la machine à écrire
du père de David, qui était plus facile à manier.

On s'amusait bien. J'étais utile aux garçons pour toutes sortes
de bonnes blagues. Ils me déguisaient en fantôme,
me suspendaient à une corde et me promenaient devant la fenêtre
de Madame Schmidt, la vieille dame du dessous.

Un jour, David arriva avec une étoile jaune sur sa veste.
Oskar demanda à sa maman : « Mutti, regarde l'étoile de David,
est-ce que tu pourrais m'en faire une comme ça ? »
« C'est impossible », répondit-elle. « Parce que tu n'es pas juif. »
« C'est quoi, être juif ? » demanda Oskar.
« Les Juifs sont différents, ils ont une autre religion, le gouvernement
est contre eux et leur rend la vie très difficile. C'est injuste et
très triste, on les oblige à porter cette étoile pour les reconnaître. »

Et ce fut un jour atrocement triste lorsque des hommes
en manteau de cuir noir et d'autres en uniforme
vinrent chercher David et ses parents.
Juste avant d'être emmené, David me donna à son meilleur ami, Oskar.

Du haut du balcon,
Oskar et moi nous vîmes David
et bien d'autres gens qui portaient des étoiles jaunes.
Ils furent poussés dans des camions et emmenés
vers une destination inconnue.

Oskar se sentait désormais très seul.
Chaque soir, il me demandait : « Tu sais où est David ? »
Et il se mettait à parler de tous les bons moments
que nous avions passés ensemble.

Un autre jour de tristesse fut celui où nous allâmes tous
à la gare dire au revoir au père d'Oskar. Appelé par l'armée,
il partait pour le front où la guerre faisait rage.

Puis les bombardements commencèrent.
Les sirènes donnaient l'alerte du haut des toits
et nous devions descendre aussi vite
que nous le pouvions nous mettre à l'abri
dans la cave.

Des quartiers entiers étaient pulvérisés. Au milieu des ruines et des incendies gisaient d'innocentes victimes. Un jour, une explosion soudaine me projeta en l'air dans un nuage de fumée. Je perdis connaissance.

Au bout de combien de jours ai-je retrouvé
mes esprits ? Je me suis réveillé sur une pile
de débris carbonisés. Tout autour de moi
il n'y avait que des ruines.
Arrivèrent des tanks et des soldats.
J'entendis des fusillades.
J'étais au milieu d'un violent combat.
Soudain un soldat avec un visage très sombre
s'arrêta devant moi et me regarda, l'air saisi.

Il me souleva.

À cet instant précis, je sentis une douleur fulgurante
me traverser le corps.

Le soldat, qui me tenait contre sa poitrine,
s'effondra en gémissant.

Nous avions été touchés par la même balle.

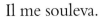

Deux hommes arrivèrent
et nous emmenèrent sur un brancard.
Le soldat blessé, un GI américain,
m'étreignait toujours contre sa poitrine ensanglantée.

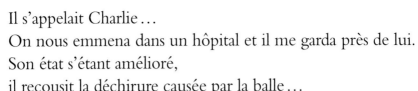

Il s'appelait Charlie…
On nous emmena dans un hôpital et il me garda près de lui.
Son état s'étant amélioré,
il recousit la déchirure causée par la balle…
Il disait à tout le monde : « Regardez cet ours en peluche,
croyez-le ou non, il m'a sauvé la vie ! »

Quand le GI Charlie fut finalement décoré, il épingla
sa médaille sur ma poitrine. L'histoire fit le tour
des journaux, on voyait ma photo partout. Je fus très fier
de toute cette attention. Charlie me rebaptisa Alamo
et je devins la mascotte de son régiment.

Quand la guerre fut finie,
Charlie rentra chez lui en Amérique.
(J'avais alors appris assez d'anglais
pour comprendre ce qui se passait
autour de moi.)
Il me sortit de son sac et me donna
en cadeau à sa petite fille Jasmine.
Elle fut absolument ravie.

J'avais trouvé un nouveau foyer. Jasmine me cajolait,
me berçait et me chantait à l'oreille des chansons
que je n'avais jamais entendues. Elle m'avait confectionné
un lit dans une boîte en carton. C'était le Paradis après l'Enfer.

Mon bonheur douillet prit fin brutalement,
un jour où Jasmine me faisait faire
une petite promenade dans le quartier.
Je fus soudain arraché à elle par de sales
gosses. Ils se servirent de moi comme
d'une balle. Ils me donnèrent des coups
de pied, me frappèrent avec des battes
et me piétinèrent dans le caniveau.
Je pouvais entendre les cris de Jasmine
qui appelait désespérément à l'aide.

À moitié aveugle, un œil arraché,
meurtri, déchiré par endroits,
couvert de boue, j'atterris dans les ordures.

Le lendemain matin, je fus ramassé par une vieille femme
qui faisait les poubelles. Elle me mit dans une poussette bancale
pleine de vieilles loques et de bouteilles vides.

Elle me vendit à l'antiquaire, qui remplaça mon œil,
gratta la boue, me raccommoda et me lava.
« Ça tentera bien un collectionneur », se dit-il à lui-même
en m'installant dans la vitrine de son magasin.
Et je restai assis là, à regarder le monde passer.

J'avais tout de même l'air d'une épave et mon air pitoyable n'attirait personne. Des années et des années passèrent, jusqu'à un soir pluvieux où un gros monsieur s'arrêta devant la vitrine et m'examina attentivement. Il entra dans la boutique et dit au marchand avec un fort accent allemand : « Zet ours en beluche dans la fitrine, z'était le mien quand j'étais betit ! Je le zais à cause de la tache fiolette zur la figure. Combien il coûte ? » Cet acheteur était mon vieil ami Oskar ! Je ne l'aurais jamais reconnu.

Oskar m'emmena dans sa chambre d'hôtel. La presse eut vent
de mon histoire et, pour la seconde fois, j'eus ma photo
dans les journaux. « Un touriste allemand, survivant de la guerre,
retrouve son ours en peluche chez un antiquaire américain. »
Le jour qui suivit la publication de ma photo, le téléphone sonna
dans la chambre d'hôtel d'Oskar. Voici ce que j'entendis : « Allô ?
Qui ?... Quoi ?... Z'est imbozible... Toi, David, tu es dans zette
ville... Oui, Otto est là
afec moi, oui... J'arriffe tout de zuite, donne l'adresse... »

Nous prîmes un taxi et, une heure plus tard, nous étions
tous les trois réunis et fêtions nos retrouvailles.
Ce que j'entendis me peina profondément. David et ses parents
avaient été déportés dans un camp de concentration.
Ses parents étaient morts là-bas, dans une chambre à gaz.
David avait survécu, malade et affamé.
Le père d'Oskar avait été tué sur le front, et sa mère était morte
également, pendant un bombardement, écrasée sous les décombres
d'un mur. Oskar avait survécu malgré ses blessures.

Comme ils menaient tous deux une vie solitaire,
Oskar décida de s'installer chez David.
Nous trois réunis, la vie fut enfin ce qu'elle devrait
toujours être, normale, paisible. Pour m'occuper,
j'ai écrit cette histoire en la tapant comme je pouvais
sur la machine à écrire de David. Et la voici…